Un fantôme
à la bibliothèque

Jean-Pierre Courivaud est né en 1963. Il vit dans un petit village du Nord avec sa femme et leurs trois enfants : Joséphine, Robinson et Cyprien.
Il est enseignant et, parallèlement, il écrit des récits pour la jeunesse.
Léo, chevalier malgré lui - La cavalière des steppes (Mes premiers j'aime lire)

Nicolas Hubesch est né en 1969 dans la banlieue parisienne. Après quelques détours par Clermont-Ferrand, Lyon, Dijon et Strasbourg, il est revenu dans la capitale où, depuis sa fenêtre au sixième étage, il peut contempler le ciel de Paris et les pigeons qui, perchés sur les antennes de télévision, réfléchissent sur le sens de la vie...
Du même illustrateur dans Bayard Poche :
La sorcière du TGV (J'aime lire)

Onzième édition

© 2009, Bayard Éditions
© 2006, Bayard Éditions Jeunesse
© 2003, magazine *Mes premiers j'aime lire*
Dépôt légal : septembre 2006
ISBN : 978-2-7470-1959-0
Loi 49956 du 16 juillet 1949 sur les publications destinées à la jeunesse.

Un fantôme
à la bibliothèque

Une histoire écrite par Jean-Pierre Courivaud
illustrée par Nicolas Hubesch

mes premiers
J'AIME LIRE
bayard poche

Chapitre 1

Une drôle de bibliothèque

Dans un petit village d'Issy-les-Préjolis, il y a une église, une mairie, une boulangerie, une poste. Il y a aussi une bibliothèque... mais personne n'ose y entrer. Sur la porte, on peut lire :
ATTENTION, FANTÔME !

Un jour, une jeune femme vient voir le maire d'Issy-les-Préjolis. Elle lui dit :
– Bonjour ! Je suis mademoiselle Juliette, la nouvelle bibliothécaire.

Le maire balbutie :

– La nouvelle bibi... bibliothécaire ! Je dois vous prévenir que notre bibliothèque est hantée. Et le dernier bibliothécaire a failli mourir de peur !

Mais mademoiselle Juliette sourit :

– Une bibliothèque hantée ? Comme c'est original ! Je suis impatiente de commencer.

Lorsque mademoiselle Juliette entre dans la bibliothèque, elle fait la grimace. Et, « atchoum ! »... elle éternue.

Tout est recouvert de poussière.

Alors, elle remonte ses manches et elle se met à nettoyer.

Elle classe les vieux livres qui sont mal rangés. Elle fait la liste des nouveaux livres qu'elle veut commander. Elle dérange bien quelques araignées et quelques souris, mais elle ne voit aucun fantôme.

Le lendemain, elle décide de jeter les livres qui sont trop abîmés. Le maire vient lui donner un coup de main. Mais il n'a pas l'air rassuré. Il demande d'une voix tremblante :

– Vous... vous n'avez rien remarqué d'anormal ?

Mademoiselle Juliette lui répond :

– Si, il y a beaucoup trop de poussière.

Et elle éternue de nouveau :
– Atchoum !

Le maire sursaute et laisse tomber un gros dictionnaire. Pas de chance ! C'est justement le livre dans lequel dort le fantôme de la bibliothèque !

Chapitre 2

La colère du fantôme

Un froid glacial envahit soudain la bibliothèque. C'est le fantôme qui s'est réveillé brusquement. Il est de très mauvaise humeur. Le maire frissonne et il bégaie :

– Le fanfan... le fantôme !

Puis le maire s'enfuit à toutes jambes en bousculant mademoiselle Juliette. La bibliothécaire en perd ses lunettes. Le fantôme hurle :

– Qui me dérange pendant ma sieste ?

Et il se met à lancer des livres dans tous les sens.

À quatre pattes, mademoiselle Juliette cherche ses lunettes. Quand elle les a enfin trouvées, elle pousse un cri d'horreur :

– Hiiiiii ! Quel désordre !

Tous les livres, toutes les fiches de classement sont par terre !

Mademoiselle Juliette s'assoit au milieu des livres éparpillés. Elle pousse un profond soupir. Elle se demande comment calmer la colère de ce fantôme.

Un livre attire soudain son attention : *Les aventures de Superfantôme.*

Elle se dit : « Tiens, voilà ce qu'il me faut... »

Elle ouvre le livre et elle commence à lire l'histoire à haute voix. Le fantôme s'approche pour écouter. Il est tout à fait calme, à présent.

Mais, brusquement, mademoiselle Juliette referme le livre. Alors, le fantôme s'exclame :

– Hé, pourquoi t'arrêtes-tu ? Cette histoire est géniale ! Raconte-moi la suite !

Mademoiselle Juliette lui répond :

– Tu peux emprunter le livre, si tu veux. Tu seras le premier lecteur inscrit dans ma bibliothèque.

Le fantôme se tortille et bredouille :

– Je... je ne sais pas lire !

Il explique qu'il rêve de hanter un château fort, comme ses ancêtres. Mais dans cette bibliothèque poussiéreuse, il n'y a ni donjon ni pont-levis pour s'amuser. Il n'y a que de vieux bouquins. Quel ennui !

Mademoiselle Juliette s'écrie :

– Hanter une bibliothèque et ne pas savoir lire, c'est terrible !

Elle lui propose :

– Si tu veux, je peux t'apprendre.

Alors, le fantôme la regarde et lui sourit…

Depuis, mademoiselle Juliette ne sort plus de la bibliothèque. Les voisins l'entendent répéter des mots bizarres comme : « ba, be, bi, bo, bu » ou « fa, fe, fi, fo, fu ! »

Le maire est très inquiet. Il soupire :

– Pauvre mademoiselle Juliette ! Elle a perdu la tête !

Chapitre 3

Superfantôme !

Un mois est passé. C'est le matin de Halloween. Les habitants d'Issy-les-Préjolis découvrent la vitrine de la bibliothèque. Elle est décorée de grosses citrouilles, de fausses toiles d'araignée et de fantômes en papier.

Le maire s'inquiète :

– Plus de doute, mademoiselle Juliette est tourneboulée par son fantôme !

Mais les enfants, eux, ne décollent plus de la vitrine. Ils regardent les nouvelles collections de romans, d'albums et de bandes dessinées. Ils sont émerveillés.

Tout à coup, mademoiselle Juliette sort de la bibliothèque et elle s'écrie :

– Bonjour, les enfants ! Ça vous plairait, d'écouter une histoire ? Une histoire de fantôme, bien sûr !

Sans hésiter, les enfants entrent avec elle dans la bibliothèque.

Ils s'installent autour de mademoiselle Juliette. Et elle leur raconte *Les aventures de Superfantôme*. Soudain, l'image du livre se met à bouger, et un vrai fantôme s'en échappe ! C'est le fantôme de la bibliothèque ! Il a mis un masque et une cape. Et il vole comme Superfantôme !

Les enfants poussent un cri d'admiration :
– Wouah ! Génial, les effets spéciaux !
On se croirait au cinéma.

Alors, le fantôme prend le livre des mains de mademoiselle Juliette et il continue à lire l'histoire. Comme il lit bien ! Il met le ton, et les enfants sont captivés.

À la fin de l'histoire, les enfants se précipitent sur la collection des aventures de Superfantôme.

Très vite, le village est au courant : non, mademoiselle Juliette n'a pas perdu la tête. Et le fantôme est vraiment sympa !

Les jours suivants, tous les habitants viennent s'inscrire à la bibliothèque.

Mademoiselle Juliette est débordée. Alors, avec le fantôme, elle décide de retourner voir le maire. Elle lui chuchote quelques mots à l'oreille. Le maire ouvre grand les yeux et s'exclame :

– Un fantôme comme deuxième bibliothécaire ? Après tout, pourquoi pas ?

mes premiers j'AIME LIRE

ÉDITION

Des histoires pour les lecteurs débutants !

Réfléchir et comprendre
la vie de tous les jours

Rire et sourire
avec des personnages insolites

Se faire peur et frissonner
de plaisir

Rêver et voyager
dans des univers fabuleux

Se lancer dans des aventures
pleines de rebondissements

Petit lecteur deviendra grand

Découvrez le magazine
Mes premiers J'aime lire

DÈS 6 ANS

Votre enfant va découvrir la lecture ?
Notre formule débutants est idéale **pour
accompagner son apprentissage pas à pas :**

- Pendant 9 mois, votre enfant reçoit le magazine
  Mes premiers J'aime lire, **spécialement conçu
  pour accompagner les lecteurs débutants.**

- Pour les 3 derniers mois, votre enfant
  a grandi et reçoit *J'aime lire*,
  qu'il est désormais prêt à lire !

- Vous recevez avec chaque numéro
  le CD audio de l'histoire pour
  guider la lecture.

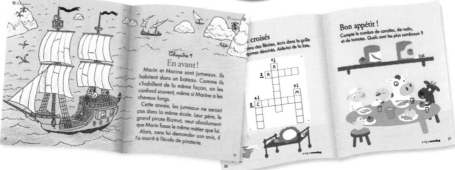

Pour en savoir plus, rendez-vous sur **www.mespremiersjaimelire.com**

100% lecteurs

Découvrez le magazine *J'aime lire*

J'aime lire est le rendez-vous lecture de tous les 7-10 ans avec chaque mois :

Un vrai roman captivant :
Aventure, comédie, enquêtes...
au fil des mois, des romans
pour tous les goûts !

20 pages de BD
pour oublier l'effort de lire.

Des jeux malins
pour faire travailler ses méninges.

 **on n'a rien inventé de mieux pour aimer lire !**

Achevé d'imprimer en juin 2015 par Pollina S.A.
85400 LUÇON - N° Impression : L72880A
Imprimé en France